Diseño de la colección: SPR-MSH.COM

Edición: **Pilar Careaga**

Carretera de Madrid, km 315,700
50012 Zaragoza
Teléfono: 913 344 883
www.edelvives.es

ISBN: 978-84-263-7379-3
Depósito legal: Z-4600-09

Talleres Gráficos Edelvives (50012 Zaragoza)
Certificados ISO 9001
Printed in Spain

¡SPLASH!

Victoria Pérez Escrivá y Claudia Ranucci

COSAS, COSITAS
Y CACHARROS

EDELVIVES

EL SEÑOR TOMÁS VIVÍA EN UNA HERMOSA CASA
CON UN JARDÍN LLENO DE FLORES Y ÁRBOLES FRUTALES.

TODOS LOS DÍAS REGABA EL JARDÍN CON LA MANGUERA.
SU JARDÍN ERA EL MÁS BONITO DEL BARRIO.

AL SEÑOR TOMÁS LE ENCANTABA REGAR SU JARDÍN.
TAMBIÉN QUERÍA MUCHO A SU MANGUERA,
QUE ERA FINA, LARGA Y VERDE BRILLANTE,
COMO UNA SERPIENTE.

EL SEÑOR TOMÁS PENSABA QUE SU MANGUERA
ERA MUY ESPECIAL, AUNQUE NO SABÍA POR QUÉ.

PERO UN DÍA EL SEÑOR TOMÁS, SIN QUERER,
SALPICÓ CON LA MANGUERA A SU VECINO,
EL SEÑOR RAMÓN, QUIEN, JUSTO EN ESE MOMENTO,
SALÍA A TRABAJAR CON UN TRAJE NUEVO.

EL SEÑOR RAMÓN SE ENFADÓ MUCHÍSIMO.
EL SEÑOR TOMÁS ESTABA ROJO DE VERGUENZA:

—LO, LO... SIENTO; HA SI... SIDO UN ACCIDENTE
—TARTAMUDEABA.

PERO EL SEÑOR RAMÓN NO DEJABA DE GRITARLE,
Y LE AMENAZABA CON LOS PUÑOS.

—TOTAL, SI SÓLO HAN SIDO UNAS GOTITAS DE NADA
—DECÍA MUY BAJITO EL SEÑOR TOMÁS.

UN TAXISTA QUE PASABA POR ALLÍ
SE DISTRAJO UN MOMENTO AL OÍR LA DISCUSIÓN
Y CHOCÓ CONTRA UN AUTOBÚS ESCOLAR
LLENO DE NIÑOS.

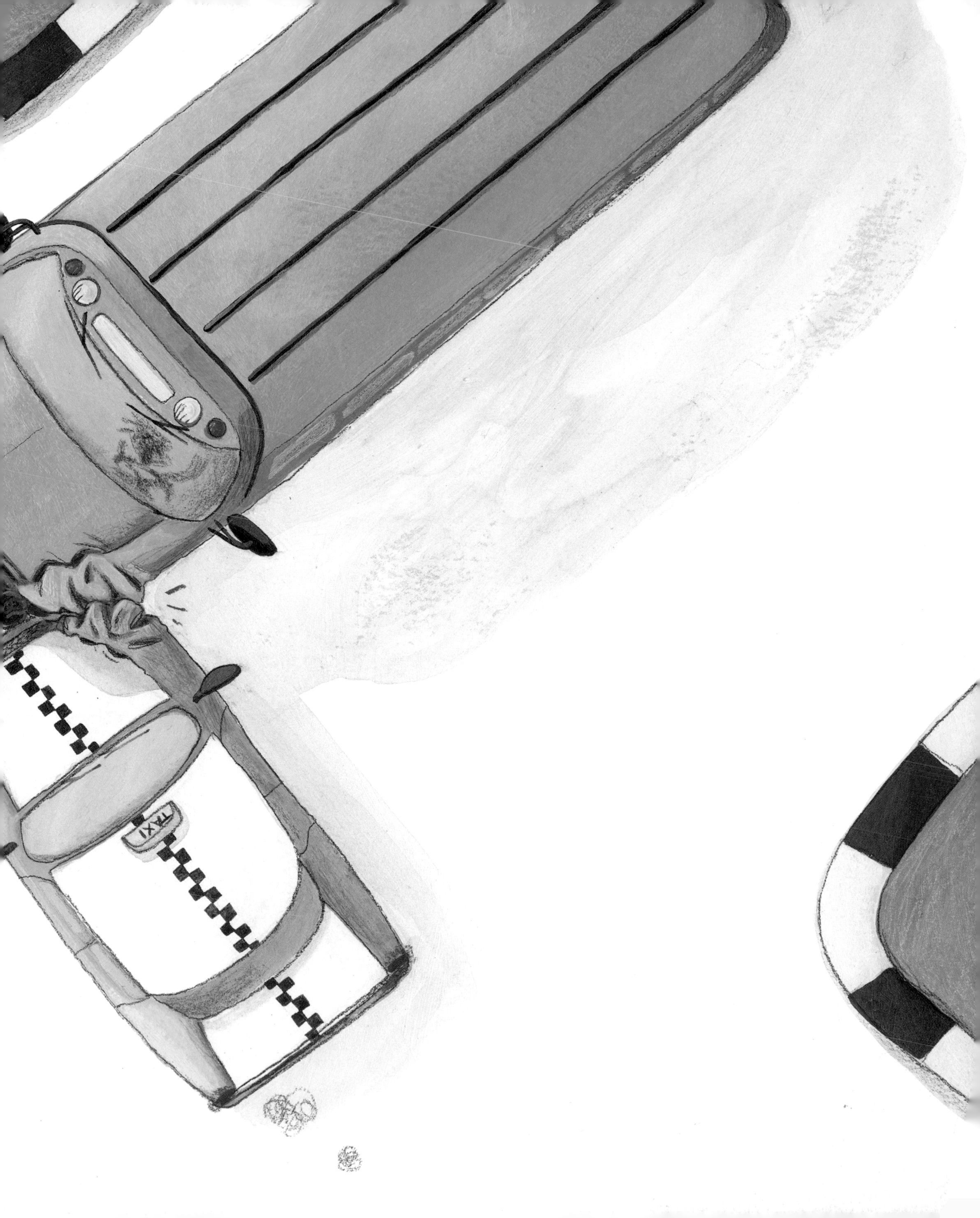

AFORTUNADAMENTE NO OCURRIÓ NADA,
PERO EL CONDUCTOR DEL AUTOBÚS SE ENFADÓ MUCHÍSIMO
Y EMPEZÓ A DISCUTIR CON EL TAXISTA.

TODO EL MUNDO GRITABA MUY ALTO.
EL SEÑOR RAMÓN GRITABA AL POBRE SEÑOR TOMÁS,

EL TAXISTA DISCUTÍA CON EL CONDUCTOR DEL AUTOBÚS, Y LOS NIÑOS SE PELEABAN ENTRE ELLOS.

HABÍA UN TREMENDO ALBOROTO.
ESTABAN MUY FURIOSOS Y TENÍAN LAS CARAS MUY ROJAS.

EL PANADERO, QUE LO HABÍA VISTO TODO,
LLAMÓ A LA POLICÍA.

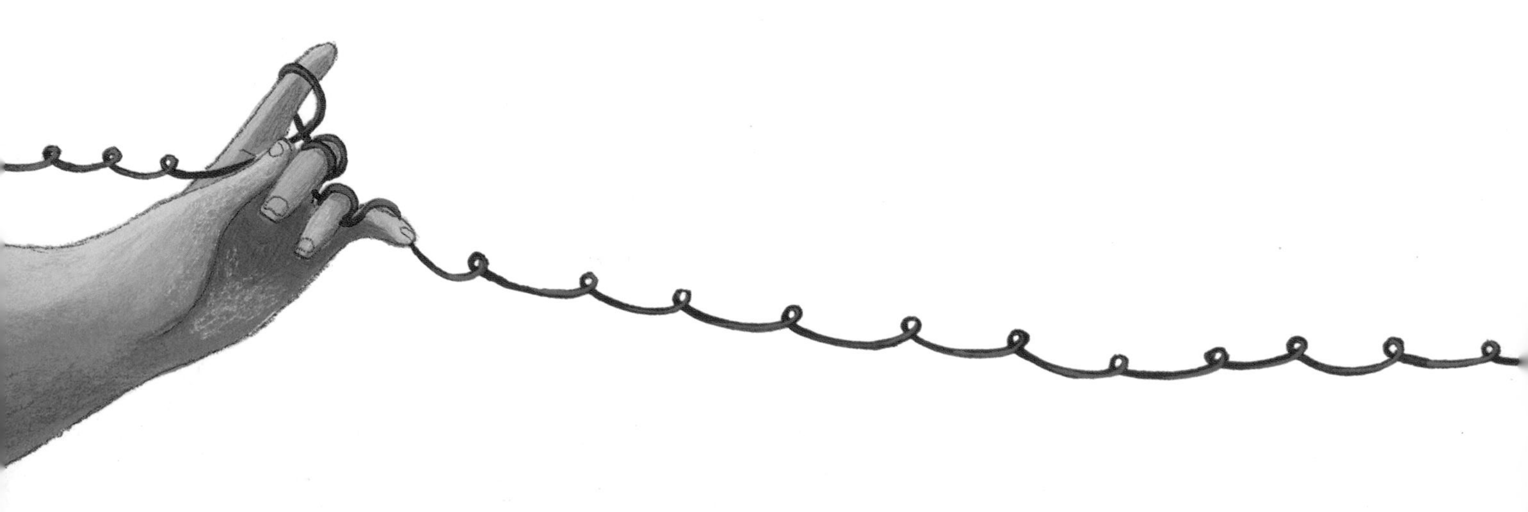

UN COCHE PATRULLA LLEGÓ A GRAN VELOCIDAD,
HACIENDO SONAR LA SIRENA.

LOS POLICÍAS SACARON UN ENORME ALTAVOZ Y GRITARON:

—¡BASTA YA DE DISCUSIONES!

PERO TODOS GRITABAN MUY FUERTE Y NADIE PODÍA ESCUCHAR A NADIE.

Y DE PRONTO, SUCEDIÓ ALGO INESPERADO.

LA MANGUERA DEL SEÑOR TOMÁS SOLTÓ
UN GIGANTESCO CHORRO DE AGUA FRÍA
QUE MOJÓ A TODO EL MUNDO.
INMEDIATAMENTE DEJARON DE GRITAR.

EL SEÑOR TOMÁS MIRÓ A SU MANGUERA
MUY ENFADADO Y LE GRITÓ:

—¿POR QUÉ HAS HECHO ESO?

LA MANGUERA SOLTÓ UN CHORRO DE AGUA FRÍA
EN LA CARA AL SEÑOR TOMÁS PARA QUE SE CALMARA.

¡SPLASH!

ENTONCES, TODOS EMPEZARON A REÍRSE.
EL SEÑOR RAMÓN SE REVOLCABA DE RISA
POR EL SUELO, CON SU TRAJE NUEVO.

EL CONDUCTOR DEL AUTOBÚS Y EL TAXISTA
SE REÍAN MIENTRAS SE DABAN LA MANO, Y LOS NIÑOS
JUGABAN CON LAS GOTAS DE AGUA.

—YA SABÍA YO QUE ERAS MUY ESPECIAL
—LE DIJO EL SEÑOR TOMÁS A LA MANGUERA EN VOZ BAJA.

DESDE ESE DÍA, LA MANGUERA DEL SEÑOR TOMÁS
SE HA HECHO MUY FAMOSA, Y HOY HAN LLAMADO AL SEÑOR TOMÁS
PARA HACERLE UNA ENTREVISTA EN LA TELE.

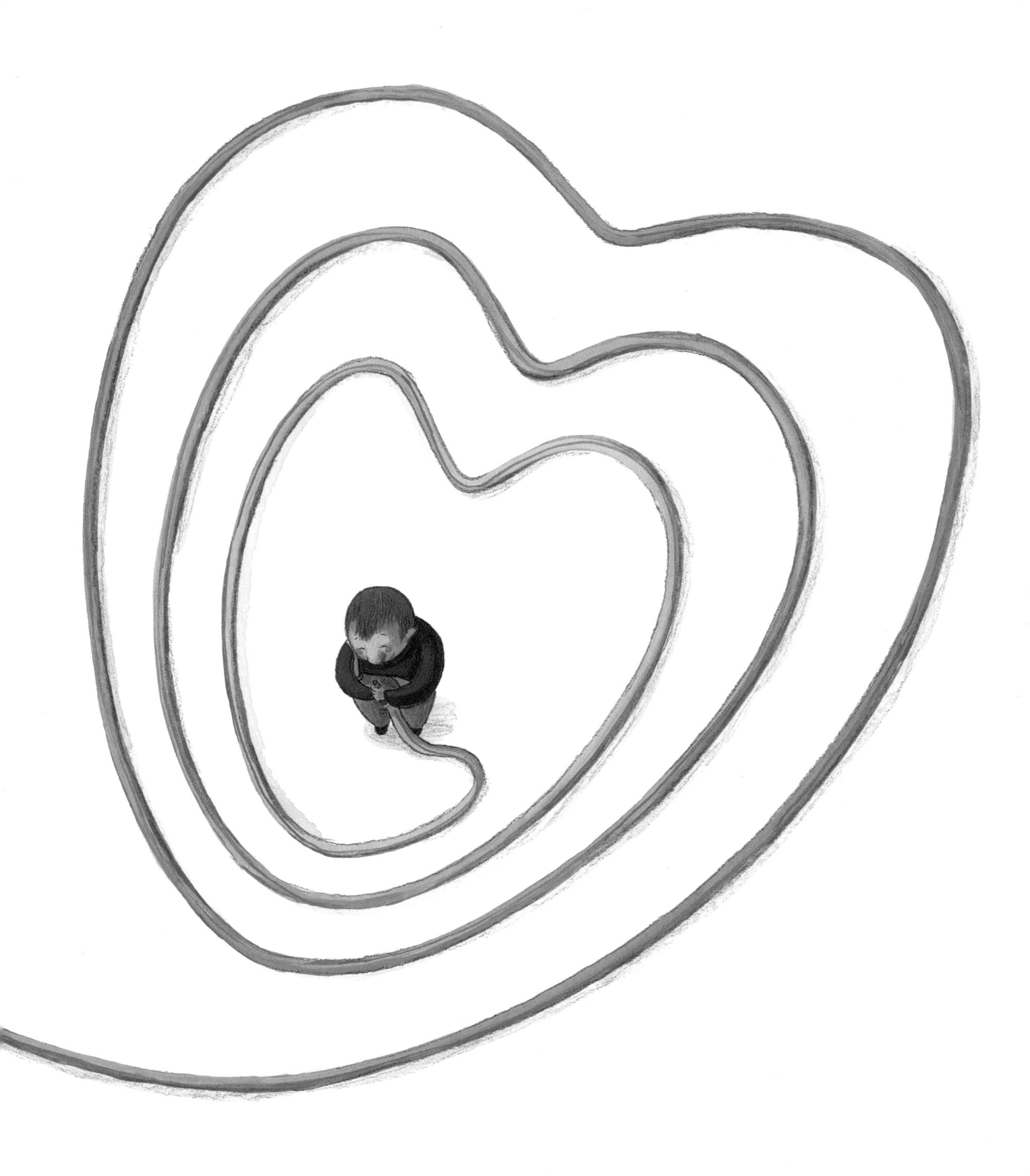

HABÍA MUCHOS ENTREVISTADORES, Y ENSEGUIDA SE HAN PUESTO A DISCUTIR SOBRE LA MANGUERA.

UNOS OPINABAN QUE ERA IMPOSIBLE QUE UNA MANGUERA HICIERA ESAS COSAS, Y OTROS DECÍAN LO CONTRARIO.

ESTABAN MUY ENFADADOS Y GRITABAN MUCHO,
PERO LA MANGUERA HA SOLTADO UN ENORME CHORRO DE AGUA
ENCIMA DE LOS ENTREVISTADORES.

Y EL SEÑOR TOMÁS SE HA IDO MUY ORGULLOSO,
CON SU MANGUERA ENROSCADA DEBAJO DEL BRAZO.

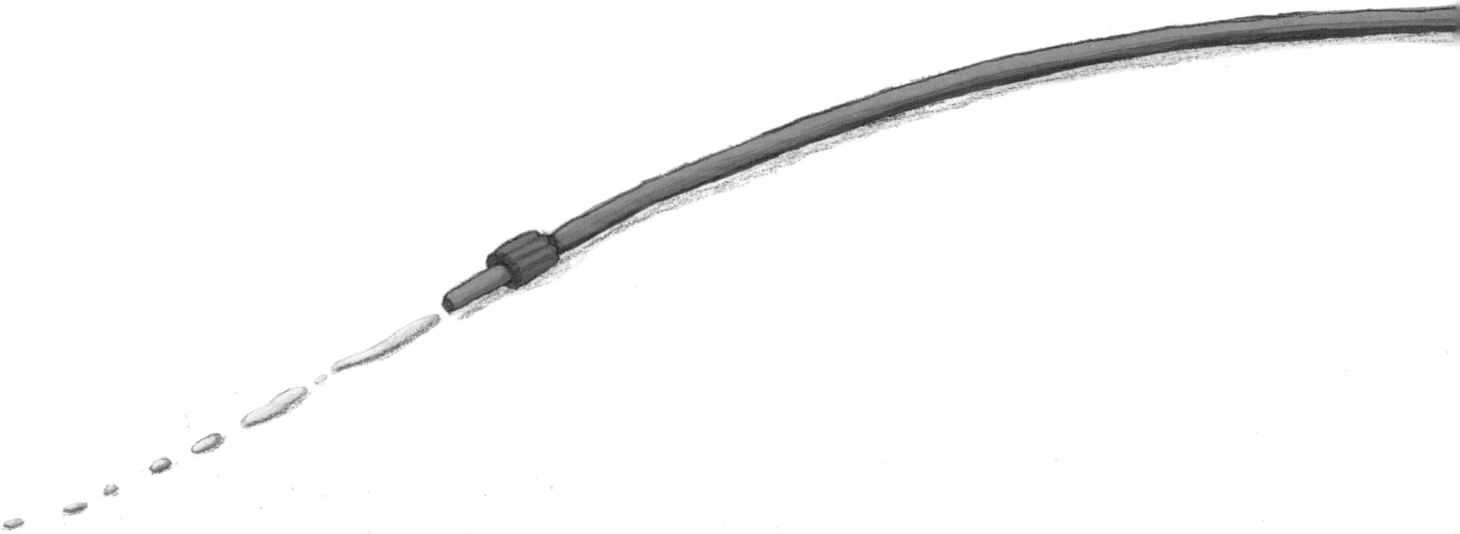